Drathaisean

Gu P.C. — G.A.

Do Lucy — N.S.

LEABHAR-DHEALBH CORGI

A' chiad fhoillseachadh am Breatainn le Leabhraichean David Fickling roinn dhe Random House Children's Publishers UK

Iris David Feckling air fhoillseachadh 2002
Iris leabhar-dhealbh Corgi air fhoillseachadh 2003

19 20

Tha leabhraichean-dhealbh Corgi air am fhoillseachadh le Random House Children's Publishers UK,
61-63 Sràid Uxbridge, Lunnainn W5 5SA www.randomhouse.co.uk

A' chiad fhoillseachadh sa Ghàidhlig an 2015 le Acair Earranta
An Tosgan, Rathad Shìophoirt, Steòrnabhagh, Eilean Leòdhais HS1 2SD

info@acairbooks.com www.acairbooks.com

A' Ghàidhlig Dolina NicLeòid
© an teacsa Ghàidhlig Acair
An dealbhachadh sa Ghàidhlig Mairead Anna NicLeòid

Tha Acair a' faighinn taic bho Bhòrd na Gàidhlig.

Fhuair Urras Leabhraichean na h-Alba taic airgid bho Bhòrd na Gàidhlig le foillseachadh nan leabhraichean Gàidhlig *Bookbug*.

Gheibhear clàr catalog CIP airson an leabhair seo ann an Leabharlann Bhreatainn.

Tha am pàipear a bhios Random House Children's Books a' cleachdadh air a dhèanamh bho fhiodh air fhàs ann an coilltean seasmhach.

ISBN 978-0-86152-573-7

Clò-bhuailte ann an Sìona

Drathaisean

Giles Andreae
Nick Sharratt

Drathaisean beaga, drathaisean mòra

Drathaisean frileach muc do sheanmhair

Drathaisean ùra, drathaisean piùthrag, aon, dhà, *trì*

Drathaisean leòmach,
drathaisean brònach

Cunnt cia mheud drathais eile
a chì thu.

drathaisean sgoinneil,
drathaisean spaideil,
drathaisean
peasan beag
sgriosail,

Drathais ma tha thu
cho àrd ri na sgòthan!

Drathaisean flagach fuasgailte,
drathaisean tioram teann

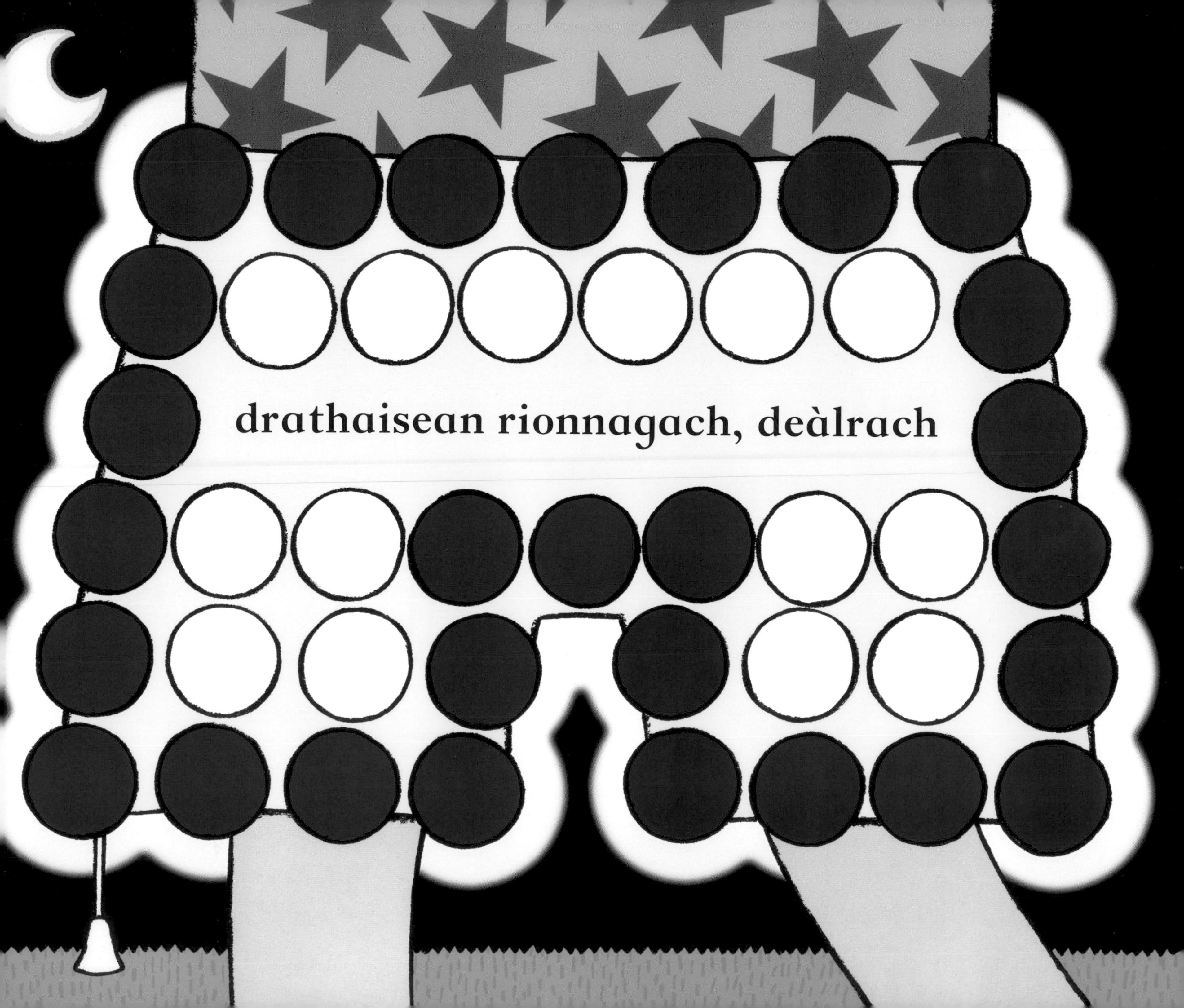
drathaisean rionnagach, deàlrach

Drathaisean dubha
Drathaisean geala,

gun druthais idir – o, mo chreach!

Drathais nuair bhios tu togail dhìthein,
Drathais nuair dh'fhàsas tu cho sgìth dheth

Às do rian – cuir do dhrathais mu do cheann!

Drathaisean spòrsail,
drathaisean stòrais

Umad iad 's an adhar gun sgòth ann

Am faca tu drathais
le coinneanaich?

Gu dearbha fhèin is mi a chunnaic!

Drathaisean air latha
sona samhraidh

Drathaisean badain bìodain,
drathaisean dòigheil draibhidh!

Drathaisean bòidheach chaileagan,
drathaisean molach luchrabain

Ach teich bho dhrathaisean sgreamhail grannda!

Abair thusa drathaisean

de gach seòrsa!